Hoofd, schouders, knie en teen

# Leuk om te weten

# *Hoofd, schouders, knie en teen*

*Verhalen, spelletjes, en weetjes over je lijf*

Annemarie Bon

met illustraties van Gertie Jaquet

# Inhoud

Hoofd, schouders, knie en teen, knie en teen

Hoofd, schouders, knie en teen, knie en teen

Ogen, oren, puntje van je neus

Hoofd, schouders, knie en teen, knie en teen

# 1

# Zo zie je eruit

## *Tweeling*

'Ik wou dat wij een tweeling waren,' zegt Doeke. 'Wij zijn vriendjes. Wij horen bij elkaar, maar je ziet er niks van.'

Marjolein gaat tegenover Doeke staan. 'Wij lijken helemaal niet op elkaar. Jij bent een jongen en ik ben een meisje.'

'En jij bent kleiner dan ik,' zegt Doeke. 'Jouw haar is licht en steil. Ik heb donker haar en krullen. Jouw ogen zijn groen en de mijne bruin. Nee, we lijken echt niet op elkaar.'

Doeke en Marjolein kijken elkaar aan. 'Daar moeten we wat aan doen,' zeggen ze dan tegelijk.

'Jij kunt op hakken gaan lopen. Of ik kan net doen of ik een jongen ben.'

'Nee, dat werkt niet,' zegt Doeke. 'We kunnen ons het beste verkleden. Mama heeft op zolder een mand met oude lappen. Daar kunnen we twee dezelfde mantels van maken. Kom op.'

Doeke en Marjolein lopen de trap op. De deur van het hok is open, maar Doeke kan de knop van het licht nergens vinden. Marjolein

voelt ook langs de muur. Maar nee, geen knop te bekennen.

'Ik vind die mand zo wel,' zegt Doeke. 'We slepen hem gewoon dit hok uit. Dat lukt best. Help je mee?'

Even later trekken en sjorren Doeke en Marjolein aan een grote mand. Wat is die zwaar. Eerst gaat het goed, maar dan ineens blijft de mand haken.

'Volgens mij moet hier boven die plank toch een lichtknopje zitten,' zegt Doeke. 'Ik voel nog een keer.'

Maar dan klinkt er een heel raar geluid. Een plof. Allebei voelen ze een vieze dikke brij over zich heen lopen. De brij ruikt naar verf.

'Jongens, wat gebeurt er?' Mama komt de trap op rennen.

'We zijn hier.' Doeke moet er bijna van huilen.

Het licht floept aan. Doeke en Marjolein kijken elkaar aan. Ze schieten in de lach. Dikke slierten groene verf lopen over hun haren. Mama kijkt eerst nog een beetje boos, maar dan begint ze ook te lachen.

'Jullie lijken wel een tweeling met die groene haren!'

## *Zoek Doeke*

Wat veel kinderen! Zie jij Doeke? En zie jij Floor? Floor is een meisje. Ze heeft lange blonde, steile haren en blauwe ogen. Floor is groter dan Doeke.

## Niemand is hetzelfde

Gek, hoor. Er zijn zoveel mensen op onze aarde. Er is niemand die al die mensen precies kan tellen. Elk moment wordt er wel ergens iemand geboren of gaat er iemand dood. Stel je voor dat iedere haar op je hoofd een mens was. Dat zijn er bijvoorbeeld 80.000. Heel veel dus. Als je de haren van al die 80.000 mensen zou optellen, dan wist je ongeveer hoeveel mensen er op onze aarde rondlopen. Maar ook al zijn er nog zoveel mensen, niemand is hetzelfde! Ook tweelingen niet. Vooral aan het gezicht herken je iemand meteen.

## Wat kan jouw lijf allemaal?

Je lijf kan heel veel: spelen en lachen, huilen en eten, praten en lopen. En denken, kusjes geven, slapen, zingen en schoppen. Sommige dingen moet je lijf nog leren. Kun jij al zwemmen? En hoe lang kun je op één been staan? Lukt fietsen zonder zijwieltjes al? Sommige dingen leert je lijf nooit. Vliegen bijvoorbeeld. Vallen gaat des te beter!

## Gekke bekken

Voor dit spelletje ga je met zijn tweeën tegenover elkaar zitten. Je trekt allebei zoveel mogelijk gekke gezichten. Je moet proberen niet te lachen. Wie het eerst in de lach schiet, heeft verloren.

## Schilderij van jezelf

Neem een stuk behang. Ga daarop liggen en vraag iemand om een lijn om je lijf te maken. Teken en kleur nu de binnenkant van je lijf. Let goed op de kleur van je haar en je ogen. En wat voor kleren heb je aan? Zit alles erop en eraan? Je schouders, je nek, je ellebogen en knieën, je neus, je oren en je mond? Hang je schilderij aan de muur. Dan kun je naar jezelf kijken.

## Praten met je lijf

Hoe praat jij? Met woorden? Wist je dat je lijf ook praat zonder woorden? Kijk eens goed naar Doeke. Hij trekt rare gezichten. Hij maakt gebaren. Wat zegt hij met zijn lijf?

Ik ben boos

Bah, wat vies!

Wat zeg je?

Ik weet het niet

Nee!!!

Mmm, lekker

Ik ben verlegen

Ik ben verdrietig

# Weet jij hoe alles heet?

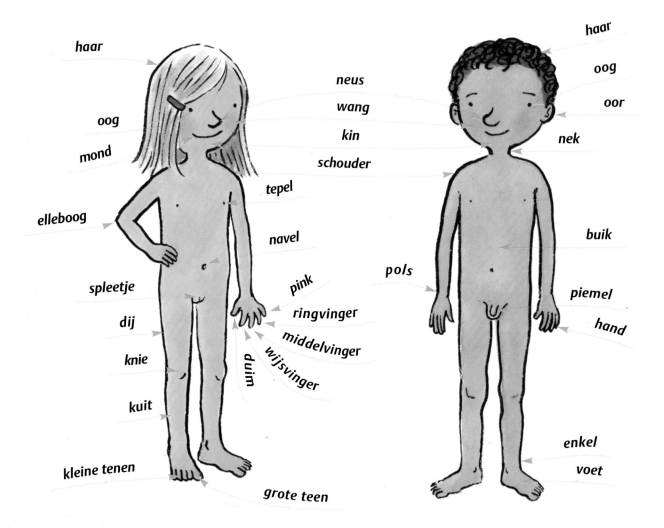

haar

oog

mond

elleboog

spleetje

dij

knie

kuit

kleine tenen

neus

wang

kin

schouder

tepel

navel

pink

ringvinger

middelvinger

wijsvinger

duim

grote teen

haar

oog

oor

nek

buik

piemel

hand

enkel

voet

pols

10

# 2
# Je mond

## *Gestopt*

'Ik ben gestopt,' zegt Marjolein. 'Ik ben er helemaal zelf mee gestopt. Nu al drie dagen.'
'Waarmee?' vraagt Doeke.
'Nou, met tutten op mijn speen natuurlijk!'
'Ik ook,' zegt Doeke. Hij krijgt opeens een kleur op zijn wangen. 'Gisteren.'
'Wij zijn nu groot,' gaat Marjolein door. 'We zitten al bij de kleuters. Een speen is voor kleine peuters. Niet voor ons.'
Doeke zegt niks. Hij heeft nog steeds een kleur.
'Zullen we verstoppertje spelen?' stelt hij voor.
'Gewoon in huis. De ladder van mijn bed is de buutpaal. Begin jij met verstoppen? Dan ben ik hem.'
Doeke telt. 'Een, twee, drie, vier, vijf, zes, zeven, acht, negen, tien, twintig, honderd…'
Hij haalt zijn handen van zijn ogen en draait zich om. Dat heeft Marjolein snel gedaan. Hij ziet niks bewegen en het is doodstil. Ze is vast naar beneden, bedenkt Doeke. Snel rent hij de trap af. Hij zoekt in de kamer achter de gordijnen, achter de bank en onder de tafel, maar nergens ziet hij Marjolein.
Doeke loopt naar boven. Hij zoekt alles af. De slaapkamer van papa en mama, de zolder. Nergens kan hij Marjolein vinden. Zou ze dan toch op zijn eigen kamer zijn? Doeke loopt terug.
Boven op zijn bed kan ze niet zijn, want hij stond tegen de ladder aan. Achter de verkleedkist? Nee… maar wacht eens! Doeke tilt de deksel van de kist af.

'Buut Marjolein,' gilt hij. Dan valt zijn mond open.
'Je tut!' zegt hij. 'En je was ermee gestopt?'
'Ja, jij toch ook? Maar wat doet die speen dan hier?'
'Euh,' zegt Doeke, 'dat is voor af en toe. Ineens kan ik er zo'n zin in krijgen. Nu bijvoorbeeld.'
'Hier,' zegt Marjolein, 'neem jij hem dan maar even. Weet je, ik heb thuis ook nog een speen verstopt voor noodgevallen.'
'Dat is ons geheim, hè?' zegt Doeke.

## De 'mmm' van mond

Met je mond kun je praten. Je maakt klanken
met je tong, maar ook met je lippen of je keel.
Zeg maar eens de 'mmm' van mond. Dat doe je
met je lippen. De 'lll' (spreek niet uit als el) van
lijf maak je met je tong. De 'ggg' (spreek niet
uit als gee) van grapje zeg je met je keel.
Probeer nog meer klanken uit. Knap van je
mond, hè?
Het allerleukste om met je mond te doen,
is kusjes geven.

Met je mond kun je ook eten.
Ken je het verschil tussen tanden
en kiezen? Je bijt met je tanden.
Wat zijn die scherp! Je kauwt met je kiezen.
Die malen alles fijn. Met je tong kun je
proeven. Op het puntje van je tong proef je het
beste zoet. De andere smaken zijn zout, zuur
en bitter. Bitter vind jij vast niet lekker.

Welke dingen smaken zoet? En welke zout,
zuur en bitter?

## Koekhappen

Het leukste spel om met je mond te doen, is koekhappen.

## Nieuwe tanden

Jij groeit, maar je tanden niet. Die zijn net zo klein als toen je nog een baby was. Ze heten niet voor niets 'melktanden'. Nu heb je grotere tanden nodig. Er zit maar één ding op: deze tanden moeten eruit en er moeten grotere terugkomen. Heb jij al een nieuwe tand? Tanden wisselen gebeurt meestal wanneer je ongeveer zes jaar oud bent. Als je straks groot bent, heb je acht snijtanden, vier hoektanden en twintig kiezen.
Wees zuinig op je tanden. Poets ze twee keer per dag. En eet en drink niet vaker dan zeven keer per dag iets. Dat is het beste om sterke tanden en kiezen te houden.

## Spuug

In je mond zit spuug. Met een net woord heet dat speeksel. Spuug is nodig, want dat maakt van je eten een papje terwijl je kauwt. Je hoeft maar aan iets lekkers te denken en er komt al spuug in je mond. Wat vind jij lekker? Een ijsje? Chocolade? Denk daar maar aan. Merk je dat er ineens meer spuug in je mond komt? Ook van zure dingen krijg je veel spuug in je mond.
In China spuugden de mensen altijd gewoon op straat. Toen kwam er een nare ziekte in het land die je van spuug kon krijgen. Nu spugen ook de mensen in China niet meer zomaar in het rond.

## Dit kan ik al

o Met mijn tong in mijn eigen neus peuteren.
o Mijn tong als een gootje dubbelklappen.
o Klakken met mijn tong.
o Mijn eigen tanden poetsen.
o Een ballon opblazen.
o Met mijn vingers mijn lippen laten trillen.

## Proefspelletje

Doe in kleine kommetjes allerlei smaken. Bijvoorbeeld stroop, azijn, chocoladepasta, olie, ketchup, jam, pindakaas, citroensap, grapefruitsap, dropwater en mayonaise. Doe een blinddoek om, steek je vinger in de eierdopjes en proef maar. Hoe smaakt het? Zoet, zout, zuur of bitter? Weet je wat je proeft?

## Losse-tandenspel

Dit spel kun je met twee of meer kinderen spelen. Neem elk een knoop of muntje, een vel papier en een potlood of pen. Probeer om de beurt het muntje of de knoop op een van de monden op deze bladzijde te gooien.

Lukt dat, dan mag jij net zoveel tanden op je vel papier tekenen als er tanden uit die mond zijn. Wie heeft het eerst tien losse tanden verzameld? Dan heb je gewonnen.

## Neptanden

Mis je een paar tanden? Geen probleem.
Je maakt gewoon zelf neptanden. Als je wilt, kun je ze ook lekker eng maken.
Was een sinaasappel. Vraag of je moeder de schil in vier parten snijdt. Kun je met een mesje deze lijntjes snijden? Het kan op twee manieren. Doe nu je neptanden in je mond, met de witte kant naar buiten.

14

Je mond

# 3
# Je neus

## *Dat ruikt lekker!*

'Mam, mag ik meehelpen?' Doeke probeert in de beslagkom te kijken.

Mama schuift een stoel bij het aanrecht. Daar mag Doeke op staan.

'Mmm, het ruikt zo lekker. Wat zit daarin?'

'Boter, suiker, een snufje zout en vanillesuiker,' zegt mama. 'Ik ga een cake bakken. Doe jij er maar een ei bij.'

Doeke pakt een ei uit het doosje en legt dat in de kom. Mama lacht. Ze pakt het ei uit de kom.

'Je moet het ei eerst kapot tikken. Kijk, zo.' Mama breekt de eischaal boven het beslag open. Het ei druipt in de kom. Mama mixt het ei door het beslag tot het mooi glad is.

'Nu jij,' zegt mama.

Doeke pakt een ei en tikt ermee op de kom. 'Oeps,'

zegt hij, 'dat was denk ik te hard.' Het ei glijdt langs de buitenkant van de kom op het aanrecht.

'Probeer nog maar een keertje.'

Doeke tikt zacht met een ander ei. Maar het ei blijft heel. Doeke tikt nog wat harder, maar weer gebeurt er niets. Dan geeft hij een harde tik. Plop! Het ei vliegt zo in zijn gezicht. Mama veegt snel Doekes gezicht schoon.

'Doe jij het maar,' zegt hij. 'Ik kijk wel.'

Als de eieren door het beslag geklutst zijn, mag Doeke meel afwegen. Precies tot de wijzer bij het derde streepje staat. Voorzichtig schept mama het meel door het beslag. Als ze het cakeblik pakt, kan Doeke het niet laten. Hij steekt zijn vinger in het beslag en neemt een grote lik. 'Mmm,' zegt hij. 'Dat is lekker.'

'Foei,' zegt mama. 'De cake is straks nog veel lekkerder. Als je nu het beslag opsnoept, hebben we straks geen cake. En rauw ei is helemaal niet gezond.'

Mama schuift de cakevorm in de oven. 'Wij gaan ondertussen samen in de tuin werken.'

Na een tijdje gaat Doeke naar binnen om te plassen. 'Mam!' roept hij meteen. 'Het stinkt heel erg in de keuken. Er is zwarte rook.'

'O nee,' zegt mama, 'de cake is helemaal verbrand.'

'Tja,' zegt Doeke, 'voortaan eten we toch maar alleen beslag, dat kan tenminste niet mislukken.'

# Zoveel neuzen, wat voor neus heb jij?

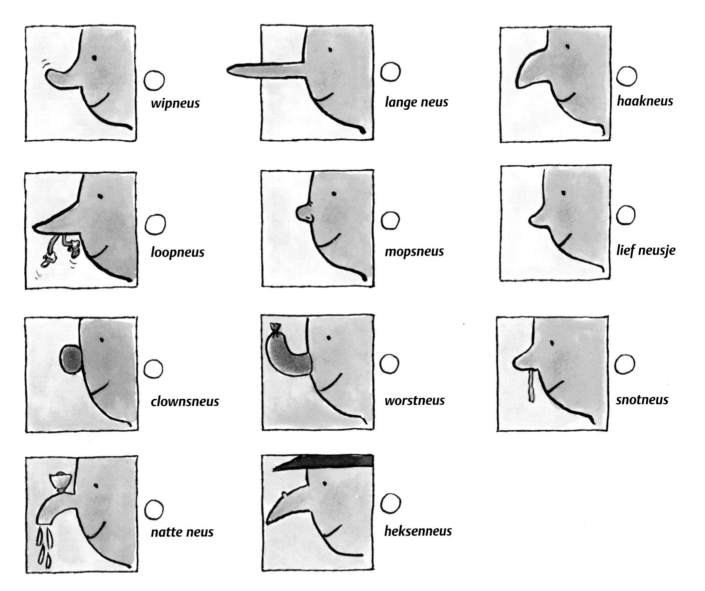

wipneus ○

lange neus ○

haakneus ○

loopneus ○

mopsneus ○

lief neusje ○

clownsneus ○

worstneus ○

snotneus ○

natte neus ○

heksenneus ○

## Ademen met je neus

Je neus is om door te ademen. Je kunt beter door je neus ademen dan door je mond. Kijk eens met een spiegeltje in je neus. Zie je die kleine haartjes? Die houden vuiltjes tegen. Die vuiltjes dat zijn snotjes. Als je verkouden bent, is je neus steeds nat.
Kun jij al netjes snuiten? Zo doe je dat. Neem een schoon papieren zakdoekje. Vouw het open en stop je neus erin. Hou met je duim of wijsvinger één neusgat dicht. Snuit nu, maar niet te hard. Doe het dan nog een keertje met het andere neusgat. Vouw nu je zakdoek dicht met het snot naar binnen. Veeg je neus nog even af en gooi het zakdoekje in een prullenbak.

## Hatsjoe

Soms moet je niezen. Doordat je verkouden bent. Doordat je hooikoorts hebt en niet tegen pluisjes kunt. Of zomaar doordat er een stofje in je neus kriebelt. Er komt dan een flinke windstoot uit je neus. Die windstoot gaat harder dan jij kunt fietsen. Die windstoot gaat nog een heel stuk harder dan een auto op de snelweg. Zo hard als een orkaan die bomen uit de grond rukt!

## Snuffeltocht

Lekkere luchtjes van je moeder blijven niet eeuwig goed. Vraag je moeder een oud flesje parfum en zet een snuffeltocht uit. Doe het parfum in een potje en ga met een penseel met parfum langs de muren en de trap naar zolder. Of begin op zolder en laat het spoor door de keukendeur naar de tuin gaan en dan langs de tuinmuur of het hek naar de schuur. Laat je vriendjes en vriendinnetjes om de beurt vanaf het beginpunt vertrekken. Wie lukt het om het eindpunt te vinden? Goed overal aan snuffelen helpt!

## Proeven met je neus

Vraag of een van je ouders een aardappel, een peer en een appel schilt. Snij die in blokjes. Neem van elk een stukje. Je proeft precies wat aardappel, peer en appel is. Maar hou nu je neus dicht. Proef weer van de blokjes. Het lijkt wel of ze allemaal hetzelfde smaken!
Hoe dat komt? Proeven doe je ook met je neus! Snap je nu waarom je niet zoveel proeft als je verkouden bent? Dan zit je neus verstopt en kun je er niet zo goed mee proeven.

### Lekker en vies
Met je neus kun je ook ruiken.
Soms is dat fijn en soms niet.
Wat ruikt lekker en wat stinkt?

## Geurcadeautje voor oma

Neem een sinaasappel en prik die vol met kruidnagels. Dat ruikt lekker! Maak mooie patronen met de kruidnagels. Zo'n geurbal is heerlijk in de kledingkast. Oma zal er blij mee zijn.

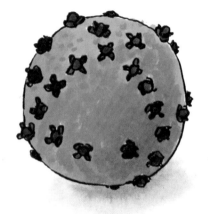

## Ruikspelletje

Dit is een leuk spelletje voor op een feestje. Zet op tafel de volgende dingen klaar: een doorgesneden sinaasappel, zeep, gemalen koffie, kaneel, azijn, parfum, kaas, baby-olie, pindakaas, een doorgesneden ui. Je kunt natuurlijk ook andere dingen met een aparte geur kiezen. Niemand mag zien wat. Als jij zelf meedoet, moet je vader of moeder de spulletjes klaarzetten. Alle kinderen gaan op de gang. Om de beurt mogen jullie met een blinddoek om raden wat je ruikt. Wie ruikt de meeste dingen goed?

## Rozenwater

Pluk rozen die helemaal openstaan en die lekker ruiken. Knip de blaadjes in stukjes en doe ze in een jampotje. Giet er amandelolie op. Doe de deksel op het potje en laat het een paar dagen in de zon staan. Zeef de olie door een schone zakdoek. Mmm, wat ruikt dat lekker. En wat is dat fijn voor je vel als je een beetje verbrand bent.

# 4

# Je ogen

## Ik zie, ik zie...

'Ik zie, ik zie wat jij niet ziet,' zegt Doeke.
'Is het rood?' vraagt Marjolein.
Doeke schudt zijn hoofd.
'Is het groen?'
Doeke kijkt Marjolein aan. 'Ja,' zegt hij dan.

Marjolein kijkt rond in Doekes kamer. Ze zoekt dingen die groen zijn. 'Je sokken?'
Als Doeke nee zegt, vraagt Marjolein: 'Is het kleiner dan je beer?'
Doeke knikt.
'Is het kleiner dan je bedlampje?'
Weer is het antwoord ja.
'Is het kleiner dan een knikker?'
'Ongeveer net zo groot,' zegt Doeke.
Marjolein staat op en kijkt wat er allemaal op het tafeltje in Doekes kamer ligt.
'De puntenslijper? Dat groene krijtje? Dat autootje? Dat poppetje van Playmobiel?'
Doeke zegt steeds nee. Marjolein wordt een beetje boos.
'Je moet wel eerlijk spelen, hoor,' zegt ze. 'Je moet het zo kunnen zien. Niet dat het ergens onder in de speelgoedmand ligt.'
Doeke lacht. 'Ik zie het zo.'
Marjolein zoekt weer verder. 'Die namaakvlieg? Dat ijslepeltje? Die punaise? De kleurendobbelsteen?'
'Nee, nee, nee,' zegt Doeke.
'Ja, ik geef het op, hoor,' zegt Marjolein. 'Er is hier echt niks groens dat zo groot is als een knikker.'
'Wel waar!' Doeke wijst naar Marjoleins gezicht.
'Hoezo?' moppert Marjolein. 'Kijk naar jezelf!'
'Nee,' zegt Doeke. 'Het zijn jouw eigen ogen! Die zijn groen.'

## Blij dat je kijkt

Zonder ogen kun je niets zien. Je ogen vangen licht op. Je hersenen zorgen ervoor dat je snapt wat je ziet.

De meeste mensen zien alles in kleur. Hoeveel kleuren ken jij? Er zijn ook mensen die kleurenblind zijn. Die zien bijvoorbeeld geen verschil tussen rood en groen. Of ze zien alles grijs. Net als op een zwartwitfoto.

Sommige mensen zijn helemaal blind. Die zien niks met hun ogen. Voor hen is voelen net zoiets als zien. Ze lezen door bobbeltjes te voelen. Zulke bobbelletters noem je braille.

o    **Dit is de a**

o o
 o    **En dit is de o**
o

Wil je weten hoe het is om blind te zijn? Doe dan een blinddoek om. Kun je gemakkelijk de weg vinden? En een glaasje sap drinken?

## Lui oog

Heb je wel eens een kind gezien bij wie een oog afgeplakt was? Dat kind heeft dan een 'lui oog'. Dat oog raakt een beetje achter. Als het goede oog afgeplakt is, moet het luie oog wel zijn best gaan doen.

## Ruitenwissers voor je ogen

Heb je wel eens in de auto gezeten toen het regende? Heen en weer gaan dan de ruitenwissers om de voorruit schoon te houden. Voor jouw ogen zitten ook ruitenwissers: je oogleden. Grote vuiltjes worden door je wenkbrauwen en je wimpers tegengehouden. Kleine vuiltjes veeg je schoon door te knipperen. Je knippert twintig keer per minuut. Tranen zijn het schoonmaakspulletje voor je ogen. Ze zijn zout. Proef maar eens.
Tranen zorgen ook dat je ogen niet uitdrogen. Eigenlijk komen er de hele dag nieuwe tranen in je ogen, maar die lopen weg in de traanbuisjes. Kijk maar eens in het hoekje van je oog. Zie je dat gaatje? Daar lopen de tranen in weg.
Als je slaapt, lopen je tranen niet zo gemakkelijk in je traanbuisjes. Die tranen drogen dan op. Als je wakker wordt, heb je slaapzand in je ogen.
Soms tranen je ogen extra veel. Als je verdriet hebt, of pijn. Of als er iets in je oog zit. Dan stromen je traanbuisjes over. Dikke tranen lopen over je wangen en je krijgt een natte neus. En weet je wanneer je tranen ook niet weg kunnen lopen? Als je gaapt. Doe dat maar eens. Zie je dat je natte ogen krijgt?

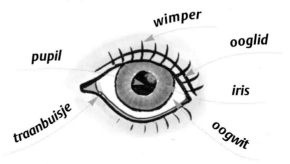

### Weet jij hoe alles heet?

## Blindekind

Dit is een leuk verjaardagsspelletje. Alle kinderen staan in een kring. Eén kind staat in het midden met een blinddoek om. Dat kind wordt in de rondte gedraaid. Hij moet naar een kind in de kring lopen en door te voelen raden wie dat kind is. Als hij het goed heeft, wordt diegene het nieuwe blindekind.

## Puzzelen

Neem een grote foto of plaat en knip die in bijvoorbeeld tien stukken. Kun je ze weer zo leggen dat de stukken passen?

## Zoekspel

Dit spel doe je in de tuin. Speel het samen met minstens één ander kind.

Kun je al tot tien tellen? Zoek dan ieder vijf of tien dingen in de tuin. Bijvoorbeeld een blad van de boom, een kiezelsteentje, een bloempot, een zandtaartvormpje, een lege limonadefles, een oude krant of wat je maar kunt vinden. Ieder legt zijn spulletjes bij elkaar. Nu moet je proberen van elk van de spullen van de ander er nóg eentje te vinden. Dus heeft je vriendje een baksteen, dan zoek jij nóg een baksteen.

Wie is het eerste klaar? Die heeft gewonnen.

## Grote ogen opzetten

Midden in je oog zie je een zwart puntje. Dat is je pupil. Door je pupil komt er licht in je oog. Is er veel licht? Dan is je pupil klein. Is er weinig licht? Dan is je pupil groot. Doe vanavond het licht maar eens minstens een minuut uit. Zorg dat je een spiegel bij de hand hebt. Als je ogen helemaal aan het donker gewend zijn, doe je het licht weer aan. Kijk goed in de spiegel naar je eigen pupil. Zie je dat die steeds kleiner wordt?

24

# 5
# Je oren

## Straatmuzikanten

'Mam, mag ik een diskman?'
'Natuurlijk niet, Doeke. Daar ben je te klein voor en bovendien ben je net jarig geweest.'
'Ja, maar als ik naar muziek luister, heb jij geen last van me.'
'Slimpie,' zegt mama.
'Daar trap ik niet in. Wacht maar tot het 5 december is. Dan kun je er een op je verlanglijstje zetten. Misschien trapt Sinterklaas erin.'
'Stomme mama,' zegt Doeke. Maar hij zegt het zo zacht dat ze het niet hoort. 'Dan ga ik wel een rondje fietsen.'
Hij loopt naar het schuurtje en pakt zijn fiets. Er zitten zijwieltjes aan en achter de fiets is een laadbakje. Doeke kán wel los fietsen, maar met wieltjes is het wel zo handig. Juist als hij wil opstappen, schiet een handvat van het stuur. Net een microfoon, denkt Doeke.
Een microfoon? Hij krijgt een goed idee. Hij rent naar zijn kamer en komt terug met zijn armen vol spullen. In het mandje voor op zijn fiets zet hij een trommel. Er zit ook een vlag op de fiets. Aan de stok knoopt hij met touw een toeter vast. Aan het laadbakje bindt hij een sliert belletjes en speeltjes van blik. Dat klettert lekker onder het fietsen.
Doeke gaat nu eerst Marjolein ophalen. Die is meteen in voor het plan. Ze haalt een paar deksels en doet een fluitje in haar mond. Zo gaan ze samen over de stoep in de buurt. Ze zijn met zijn tweeën een heel orkest!
'Wat maken jullie vrolijke muziek,' zegt buurvrouw Van Dinther. 'Hier is vijftig cent voor jullie. Die leg ik in het bakje.'
Als dank blijven Doeke en Marjolein staan en maken nog wat muziek voor buurvrouw Van Dinther. Ondertussen komen ook Lajla en Erik erbij staan. En de postbode en de moeder van Floor. En allemaal stoppen ze wat geld in het laadbakje van Doekes fiets. Ze zijn echte straatmuzikanten geworden. Na zeker wel een uur gaan Doeke en Marjolein naar huis. Wat zit er veel geld in het laadbakje!
'Ik weet al wat ik met mijn geld ga doen,' lacht Doeke. 'Ik koop een diskman!'

## Geluidenspel

Voor dit spel heb je een cassetterecorder nodig waarmee je zelf iets kunt opnemen. Ga nu op zoek naar aparte en spannende geluiden.

* Laat het grind in de tuin onder je voeten knarsen.
* Laat een kraan druppelen.
* Trek de wc door.
* Laat de gootsteen slorpend leeglopen.
* Blaas schuin in een flessenhals totdat er een mooie toon komt.
* Maak muziek op instrumenten.
* Laat een elastiekje trillen.
* Druk op de bel.
* Neem dierengeluiden op: miauwen, blaffen, vogelgekwetter, enzovoort.
* Neem de geluiden van de straat op: een auto, een fietsbel, een skateboard.

Dan nodig je een paar vriendjes en vriendinnetjes uit. Laat de geluiden een voor een horen. Wie raadt er de meeste?

## Wees zuinig op je oren

Oren heb je om te horen. Je verstaat wat andere mensen zeggen. Je hoort muziek en de geluiden van de natuur. Dat is hartstikke fijn.

Je kunt ook dingen horen die je niet kunt zien. Zoals die auto achter je! Of de regen buiten, als jij lekker in bed ligt. Of als je vriendje buiten met de brievenbus kleppert. Of als de poes bij de keukendeur staat te miauwen.

Op die fijne oren moet je zuinig zijn. Van lawaai gaan je oren kapot. Je hoort steeds minder. Pas op met harde muziek. En schreeuw nooit in iemands oor.

## Even slikken

Je oren, je neus en je mond zitten op verschillende plekken aan je hoofd. Binnen in je hoofd zijn ze met buisjes verbonden. Geloof je dat niet? Doe deze proef, dan merk je het vanzelf.

Knijp je neus dicht met je duim en wijsvinger. Slik dan eens. Merk je het? Je oren zitten ineens dicht. Slik nu nog een keer, maar dan zonder je neus dicht te knijpen.

Hè, hè, je oren zijn weer open.

## Glasorkest

Vraag of een van je ouders je helpt. Neem zes wijnglazen. Vul ze allemaal met verschillende hoeveelheden water. Maak je vinger nat en wrijf over de randen van de glazen. Wat een mooie muziek. Doe het wel voorzichtig, want aan een glasscherf kun je je lelijk snijden.

## Rammelding

Neem een kleine kartonnen koker met deksel van bijvoorbeeld chips. Verf de koker in vrolijke kleuren. Vul de koker met gedroogde bonen, macaroni of rijst. Dat rammelt leuk!

## Evenwicht

Kun jij goed je evenwicht bewaren? Als je op één been staat, of als je over een lijn moet lopen? Knap, hoor. Maar ga nu eens heel veel keer in de rondte zwieren? Nu word je duizelig en draaierig.

Door je oren kun je je evenwicht bewaren. Je oren voelen of de grond onder je scheef is of recht. Je ogen helpen daarbij. Zwier je in het rond, dan breng je je oren in de war.

## *Drumstel*

Een drumstel maak je zo: zet een krukje neer. Zet daaromheen lege dozen, omgekeerde emmers en pannen. Met een paar houten lepels kun je meteen aan de slag. Als je er nog een paar pannendeksels bij kunt hangen, is het echt af.

## Gebarentaal

Sommige mensen zijn doof. Ze horen niets of heel weinig. Ze verstaan niet wat je zegt. Veel dove mensen kunnen liplezen. Ze zien aan je mond wat voor klank je maakt. Zeg maar eens een o en kijk in de spiegel. Dat ziet er heel anders uit dan een mmm.
Onder elkaar spreken dove mensen het liefst met gebarentaal. Hier zie je enkele gebaren.

**A**　　　　**O**　　　　**L**　　　　　　　*ik*　　　　　　　　　*hou van*

Je kunt ook je eigen gebaren-taal bedenken. Je hebt dan met je vriendje of vriendin-netje een soort geheimtaal. Spreek bijvoorbeeld af dat jaknikken nee betekent.
Of dat je neus aanraken wil zeggen: Kom je bij me spelen?

29

# 6

# Eten

## *Bah, witlof!*

'Ik lust geen witlof en ik eet geen witlof!' Doeke doet zijn armen over elkaar en houdt zijn mond stijf dicht. Net of hij bang is dat er anders ineens een stronkje witlof in zal vliegen.

'Dan heb je pech,' zegt mama, 'Groente is hartstikke gezond. Het zit boordevol vitaminen. Je moet elke dag groente eten. Je hoeft er niet zo veel van, maar je eet minstens één stronkje. En verder geen gezeur.'
'Mag ik geen andere groente dan,' vraagt Doeke, 'iets wat ik wel lust? Bijvoorbeeld worteltjes of sla of komkommer?'

'Nee,' zegt mama, 'want ik wil geen verwende kinderen. Je moet gewoon eten wat de pot schaft. En vandaag is dat macaroni met kaassaus en witlof.'
'Nou, nou,' zegt papa, 'je bent wel streng, hoor. Ik wil best even wat sla klaarmaken voor Doeke. Dat geeft toch niks?'
'Ik vind dat kinderen alles moeten proeven en overal een beetje van moeten eten.'
'Dan kan hij toch een half stronkje eten en daarna sla,' zegt papa. 'Ik snap jou niet.'
'Nee, nee en nog eens nee,' beslist mama. Ze schept wat macaroni op Doekes bord. En daarna een stronkje witlof. Doeke zit nog steeds met zijn armen over elkaar.
'Hup, schep jij nou maar voor jezelf op,' zegt mama tegen papa.
Papa schept macaroni op en een stronkje.
'Zeg, wat is dat nou voor flauwekul?' vraagt mama verbaasd. 'Neem jij maar één stronkje?'
'Ja,' zegt papa, 'eigenlijk lust ik geen witlof.' En hij doet zijn armen over elkaar en zijn mond stijf dicht. Doeke kijkt naar papa. Die geeft hem een knipoog.
'Goed,' zegt Doeke. 'Ik neem één hapje om te proeven. En papa ook. Maar daarna gaan we naar de keuken om lekker sla te maken voor onszelf.'
'O, zo,' zegt papa.

## Zeven olifanten

Misschien vind je witlof niet zo lekker. Of spruitjes. Maar eten moet je, elke dag weer. Zonder eten zou je niet groeien. Je zou ook te slap worden om te spelen. Teken eens op een vel papier wat je vandaag allemaal eet. Dat zijn bijvoorbeeld drie sneetjes brood, een appel en een banaan, wat rijst, boontjes, melk en een stukje vlees. Maar als je nou eens zou tekenen wat je in een week eet. Of in een jaar. Of in je hele leven. Heel oude mensen hebben in hun leven net zo veel gegeten als zeven olifanten samen wegen. Veel, hè?

### Gezond en ongezond
Hier zie je van alles wat je kunt eten en drinken. Weet je wat goed voor je is en wat niet?

### *Boertjes en de hik*

Soms eet je te snel. Of je zuigt te veel en te hard. Of je drinkt cola met bubbels. Dan krijg je lucht in je maag, en die lucht wil er weer uit. Dan laat je een boertje. Baby's mogen boeren. Wat? Ze móéten boeren. Ook in China moet je boeren. Dat is een teken dat het eten je lekker gesmaakt heeft. Bij ons is boeren niet netjes. Probeer het zo te doen dat niemand het merkt.

Heel vervelend is het als je de hik hebt. Je krijgt het van te snel of te veel eten, na iets heel warms of heel kouds, of na limonade met veel prik. Er zijn allerlei trucjes om ervan af te komen. Probeer ze maar. Er is vast een trucje bij dat werkt.
* Hou je adem zo lang mogelijk in.
* Drink snel een glas water leeg.
* Eet een stukje ijs.
* Vraag of iemand je wil laten schrikken.
* Zeg dit versje zo vaak je kunt op, zonder tussendoor adem te halen:

Hikke pikke pauw
Ik geef de hik aan jou
Ik geef de hik aan anderman
Die de hik gebruiken kan

### *Spelen met je eten*

Bedenk je eigen knutselreceptjes van groente, bijvoorbeeld deze auto van een stuk komkommer met tandenstokers, met wieltjes van plakjes wortel, een kerstomaatje als hoofd, mayo ogen en haren van peterselie.

### *Lekkere-trek-spel*

Trek in iets lekkers en zin in een spelletje? Speel dit en alles komt goed. Verzamel verschillende eetbare dingen, zoals snoepjes, pinda's, blokjes kaas, plakjes worst, koekjes, rozijnen, druiven, dropjes, blokjes chocolade en wat je maar aan kleine lekkere dingen kunt bedenken. Leg alles netjes in rijtjes op een schone tafel. Zorg dat je van alles twee stuks hebt. Neem nu evenveel lege wc-rolletjes of kartonnen bekertjes als er hapjes zijn. Zet die over de hapjes heen. Ga nu memory spelen. Als je iets goed hebt, mag je het opeten.

## Lekker hapje?

Lust jij graag een dropje? In andere landen vinden ze dat maar vies. Bah, zout snoep! Omgekeerd vind jij niet alles lekker wat ze daar eten. Dit zijn in sommige landen de lekkere hapjes:
* sprinkhanen
* slakken
* varkensogen
* wormen
* kevers
* slangenbloed

## Frietje gezond

* Rooster per persoon twee sneetjes brood. Snij het broodje in reepjes zodat het net frietjes lijken.
* Snij een stuk komkommer in heel kleine blokjes.
* Knip wat bieslook fijn.
* Neem een bakje kwark en pers daar een teentje knoflook boven uit. Roer de komkommer en bieslook door de kwark. Doe ook wat zout en komijn door de kwark.
* Eet de broodfrietjes met de kwarkmayo. Dat is heerlijk en gezond!

## Taartje gezond

Neem per persoon een beschuit. Beleg die met plakjes banaan, druiven en aardbeien.
Doe het zo mooi als je kunt. Misschien mag er wel een toefje slagroom op.

## IJsje gezond

* Pers vier sinaasappels uit.
* Prak een banaan fijn.
* Meng de banaan door het sap.
* Roer er ook twee eetlepels poedersuiker door.
* Doe alles in een ijsbakje en zet het in het vriesvak.
* Prak het ijs elk uur met een vork door elkaar.

Na drie uur is het ijs klaar.

## Drankje gezond

Snij fruit in stukjes. Neem bijvoorbeeld appel, meloen, banaan en aardbeien. Vraag of een van je ouders het in de keukenmachine fijnklutst. Je kunt er ook melk door mixen.
Heel gezond
en o zo lekker!

# 7

# Je handen

## *Echte kunst*

De opa van Doeke is schilder. En vandaag is Doeke met opa mee naar zijn werk.
'Wat moet je schilderen?' vraagt Doeke. 'Een deur? Of een tafel?'
'Geen van beide,' zegt opa. 'Ik schilder kunst, op een doek.'
Doeke krijgt een schort om. Opa geeft hem ook een plankje met een paar kleuren verf en een kwast. Hij mag net als opa op een doek schilderen. Op een echte schildersezel. Doeke staat op een krukje. 'Ik ga een bos maken,' zegt hij, 'met een zon erbij.'
Na een tijdje roept hij: 'Klaar!'
Dan kijkt hij naar opa's schilderij. Doeke schrikt.
Opa is al heel oud, maar hij kan er niks van! Opa kan niet eens een mooie ronde vorm maken. Hij verft niet met een kwast, maar hij dept met een spons. Hij veegt en spat en spuit met verf. Het lijkt nergens op!
Zoals opa schildert, zo doen kleine kinderen het.
'Opa,' zegt Doeke voorzichtig. 'Zal ik jou leren hoe je een bos en een zon moet schilderen?'
Opa lacht. 'Dat is goed, jongen. Kom maar op.'
Opa doet precies wat Doeke zegt. Hij verft met een kwast bomen met bruin en groen en geel en rood. Hij maakt een zon met een beetje roze.
Dan gaat de bel. Het is een man die een schilderij wil kopen.
'Zo, zo,' zegt de klant. 'U bent heel verrassend bezig. Wat kost dat doek daar op die kleine ezel? Dat werk

doet me wel denken aan een bos in de duinen.'
'O,' zegt opa. Hij kijkt vragend naar Doeke. Het is het schilderij dat Doeke gemaakt heeft! Doeke knikt naar opa dat het goed is.
'Omdat u het bent: honderd euro,' zegt opa.
'Akkoord,' zegt de man en hij koopt het schilderij van Doeke.
'Zo knul, jij hebt wel een supergrote beker ijs verdiend,' zegt opa als de klant weg is. 'Kom op, dat gaan we vieren!'
'Jippie!' zegt Doeke. 'Maar als jij nou goed oefent, kun jij het straks zelf ook!'

## *Schaduwspel*

Leuk om 's avonds in bed te doen met je broertje of zusje.
Zorg dat het donker is in jullie slaapkamer. Dan schijnt de een
met een zaklamp op de handen van de ander. Kun jij deze
schaduwdieren namaken?

## Je handen zijn goed gereedschap

Jouw handen zijn heel bijzondere delen van je lijf. Wat je daar allemaal niet mee kunt doen! Allerlei priegelwerkjes met kraaltjes en blokjes, tekenen, knippen met een schaartje, kleien en de knopen van je jas dichtdoen. Met je handen kun je trekken, draaien, knijpen en iets vasthouden. Van je vijf vingers is je duim heel belangrijk. Geen dier kan met zijn duim zijn andere vingers aanraken. Maar doordat jij dat wel kunt, kun je al die ingewikkelde bewegingen maken.

## Vingerpoppenkast

Schmink je vingers. Maak er een gezichtje op. Zet je vingers een hoedje op. Neem daarvoor een echte vingerhoed of maak een hoedje van papier. De vingerpoppenkast kan beginnen! Met schmink kun je ook nephandschoenen verven. Maak monsterhanden of deftige-dameshanden.

## Vingerversje

'Naar bed, naar bed,' zei Duimelot.
'Eerst nog wat eten,' zei Likkepot.
'Waar moet ik dat halen?' zei Lange Jan.
'Uit grootvaders kastje,' zei Ringeling.
'Dat zal ik eens verklappen,' zei het Kleine Ding.
Weet jij wie welke vinger is? Als je dit versje opzegt, klap je een voor een je vingers naar binnen.

## Vingerafdrukken

Kijk eens goed naar de topjes van je vingers. Het liefst onder een vergrootglas. Zie je al die golvende lijntjes? Zie je de bogen, de krullen en de cirkels in je huid? Je zou er nog duizelig van worden. Bij ieder mens lopen de lijntjes op zijn vingers anders, zelfs bij tweelingen. En die lijntjes blijven je leven lang hetzelfde lopen. Wegschuren lukt niet. En als je je bezeert en je vel gaat eraf, dan groeien de lijntjes later toch weer precies hetzelfde terug.

Je vingers zijn een beetje vettig. Als je iets aanraakt, laat je een afdruk van de lijntjes achter. Strooi je speciaal poeder, dan zie je die lijntjes. Snap je dat je daarmee boeven kunt opsporen?

Achter in dit boek kun je een paspoort van jezelf invullen. Daar staat ook hoe je zelf vingerafdrukken kunt maken.

## Knuffelen

Wat heb je nodig om te kunnen leven? Je moet
ademhalen, eten en drinken. En natuurlijk
moet je slapen en je wassen op zijn tijd. Maar
weet je waar je ook echt niet zonder kunt?
Geen kind kan zonder aaien en knuffelen!
Net als dieren trouwens. Als jonge dieren
niet worden gelikt en geaaid, worden ze ziek.
Het is fijn om geaaid en geknuffeld te worden.
Maar alleen als mensen dat doen waar je bij
hoort en die je lief vindt. Laat je nooit
knuffelen als je dat niet wilt. Jouw lijf is
van jou en daar ben jij de baas over.
Zeg altijd 'nee' als je het niet fijn vindt
als iemand aan jouw lijf zit.

## Dit kan ik al

o Met de top van mijn duim alle andere
  vingers van mijn hand aanraken.
o Een touwtje vastknopen.
o Mijn veters strikken.
o Ik weet met welke hand ik liever teken.
o Mijn eigen naam schrijven.
o Met mes en vork eten.
o Cirkels, golfjes en mooie rechte lijnen
  tekenen.
o Mezelf wassen.
o Mezelf aankleden.
o Knippen.
o Mijn vingers een voor een buigen en dan
  weer strekken.

## Voelspelletje

Leuk voor de vrijmarkt met Koninginnedag of
op een feestje. Wie raadt wat hij voelt, krijgt
een prijsje. Zet op bordjes van alles klaar:
koude spaghetti, behangsellijm, vla,
fijngeprakte banaan, schuurpapier en meel.
Maak ook groene slijm door een papje te
maken van maïzena met wat groene
voedingskleurstof. Dat ziet er vies uit als het
aan je handen zit! Zet telkens een bordje in de
doos en laat de klanten voelen.

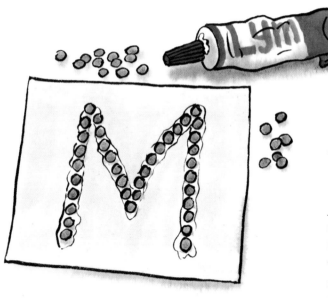

## Letters voelen

In de topjes van je vingers zit veel gevoel.
Ken jij al sommige letters en cijfers? Lijm dan
op stukjes karton spliterwten of macaroni in de
vorm van een letter of een cijfer. Kies de letters
zoals ze op het toetsenbord van een computer
staan. Kun je zo met een blinddoek om jouw
letter herkennen?

## Voetmassage

Je kunt ook je voeten verwennen. Heerlijk is
dat. Doe het bij je vriendje of vriendinnetje en
laat die het bij jou doen. Knijp zachtjes in de
tenen. Druk met je duim op alle plekjes van de
voet. En ben je klaar? Dan kun je de tenen van
de voet vrolijke gezichtjes geven.

## Raadspelletje

Dit spel speel je met zijn tweetjes. Je hebt voor
dit spel kraaltjes nodig. Je kunt ook steentjes
nemen of muntjes of snoepjes die niet plakken.
En je moet al goed tot tien kunnen tellen.
Je neemt allebei achter je rug nul, een, twee,
drie, vier of vijf kraaltjes in je hand. Je mag zelf
kiezen. Dan steek je allebei je dichte hand naar
voren. Raad nu allebei hoeveel kraaltjes jullie
samen gepakt hebben. Doe je handen open en
tel. Wie het goed heeft, mag alle kraaltjes
hebben. Dus als de een er vier heeft gepakt en
de ander twee, dan is zes het goede getal.
Je mag niet hetzelfde getal raden, maar je mag
wel om de beurt het eerste raden.

Wat lief! Twee baby'tjes in een bedje.

# 8
# Groeien

## In de achtbaan

'Ik ben nu vast groot genoeg voor de achtbaan.'
Doeke maakt zich zo lang mogelijk.
Mama lacht. 'Dat zou heel goed kunnen. Toen we
vorig jaar in Speelland waren, paste je deze
tuinbroek nog. Moet je nu eens kijken! Het lijkt wel
een korte broek.'
Vandaag gaan Doeke en mama met Marjolein en haar
moeder naar het pretpark. Dat doen ze elk jaar.
Doeke wil het liefste van alles in de achtbaan, maar
daar mag je pas in als je één meter en vijftien
centimeter lang bent. Voor de ingang is een
groeimeter. Ben je te klein, dan mag je er niet in.
'En zou ik in de achtbaan mogen?' vraagt Marjolein
aan Doeke. Ze staan in de rij bij de loketten. 'Ik ben
maar een heel klein beetje kleiner dan jij.'
De achtbaan is helemaal achteraan in Speelland.
Doeke hoort hem al voor hij hem ziet. Wat een
lawaai maakt dat ding! Als Doeke dichterbij is, hoort
hij ook de mensen gillen. Met hun handen in de
lucht scheuren ze naar beneden de diepte in.
'Vallen ze er niet uit?' vraagt Doeke aan mama.
'Nee,' zegt ze. 'Iedereen zit vast in een soort beugels.
Maar als je te klein bent, glij je tussen de beugels
door.'
Doeke knikt. Hij ziet een beetje bleek. 'Jij gaat toch
ook mee?'
Marjolein staat ook in de rij met haar moeder. Het
lijkt wel of het gegil uit de achtbaan steeds harder

klinkt. Ineens wil Doeke naar de wc.
'Ik kom zo terug,' roept hij. Mama loopt met hem
mee.
Als ze weer terug bij de rij zijn, zien ze Marjolein en
haar moeder nergens meer.
'Daar is de groeimeter,' zegt mama. Doeke gaat
ertegenaan staan. Hij zakt een stukje door zijn
knieën. Mama ziet het gelukkig niet.
'Hè, wat jammer nou,' roept mama. 'Ben je nog
steeds te klein!'
'Ja.' Doeke zucht. 'Balen!'
Samen lopen ze naar de uitgang. Doeke huppelt. In
de verte komt Marjolein aanhollen.
'Het was héérlijk,' gilt ze. 'Hij maakte twee loops.'
'Mocht jij erin?' vraagt Doekes moeder verbaasd.
'Doeke was te klein en hij is groter dan jij.'
Doeke kijkt de andere kant op.

## Was je maar vast groot

Jij wilt vast graag groot worden. Groot zijn lijkt erg leuk. Grote mensen mogen doen wat ze willen. Die kunnen overal bij. Die kunnen in de spiegel boven de wastafel kijken. Maar wat duurt het toch lang voor je groot bent. Je merkt helemaal niet dat je vandaag groter bent dan gisteren.

Toch, als je één keer per drie maanden je lengte meet, zie je wel verschil! En wil je weten of je groot wordt? Kijk dan naar je vader en moeder. Zijn die klein? Dan heb je kans dat jij ook niet superlang wordt. Maar de meeste kinderen worden wel net een tikkeltje groter dan hun ouders.

## Maak je eigen groeimeter

Knip van een rol behang een strook die een stuk langer is dan jijzelf. Beschilder die strook in vrolijke, lichte kleuren. Misschien mag je wel direct op de muur of het behang van je slaapkamer schilderen. Hoe lang was je toen je geboren werd? Teken daar een beschuit met muisjes bij. Weten je ouders nog hoe lang je was toen je één jaar werd? En toen je twee, drie en vier werd? Zet bij die lengte je leeftijd. Meet nu één keer per drie maanden hoe lang je bent. Zet dan een streepje op je groeimeter. Je zult zien dat je telkens een stukje groter geworden bent.

## Wie hoort bij wie?

Moeders zijn groot en kinderen klein. Maar al deze grote moeders zijn hun kinderen kwijt.
Weet jij wie bij wie hoort? Weet je ook hoe je de moeders en hun jonkies noemt?

## *Krimpspelletje*

Met deze truc kun je je opa of oma voor de gek houden. Je moet wel goed kunnen knippen. Neem een flinke ansichtkaart. Vraag aan je oma of opa of ze een gat in die kaart willen knippen, zodat jij erdoorheen kunt kruipen. Dat kunnen ze vast niet.
Maar jij kunt het wel!

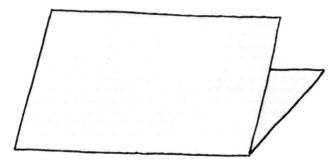

* Vouw de kaart dubbel.
* Knip de kaart in op alle lijntjes.
* Knip dan de vouwlijn door, maar laat de buitenste randjes heel.

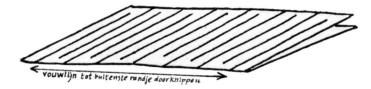

vouwlijn tot buitenste randje doorknippen

'Kijk oma,' zeg je dan.
'Ik ben gekrompen. Ik pas door de kaart!'

## Zo groot als een reus

Je begon te groeien in je moeders buik. Negen maanden lang. Toen bij jou alles erop en eraan zat, werd je geboren. Je had oortjes en handjes. Je had voetjes en een neusje. En je had een mond. Daarmee kon je goed zuigen aan je moeders borst of aan de fles. Daar kwam melk uit en van die melk groeide je weer. Een jaar na je geboorte was je ongeveer 75 centimeter. Je was drie keer zo zwaar als toen je geboren werd.

Toch is het maar goed dat je niet zo hard bleef groeien als in het begin. Anders zou je nu al bijna tegen het plafond aan gegroeid zijn. En als je zo oud was als je vader nu is, zou je een reus zijn. Je zou ver boven de daken van de huizen uitsteken.

## Lange haren en nagels

Gelukkig stop je op een keer met groeien. Maar sommige dingen aan je lijf blijven groeien: je haren en je nagels bijvoorbeeld. Als die te lang worden, moet je ze knippen. Gelukkig zit er geen gevoel in je haren en nagels. Je voelt er niks van.

En let eens op: de nagels van je vingers groeien veel sneller dan die van je tenen. Je moet je vingernagels twee keer zo vaak knippen.

# 9

# Poepen en plassen

## De puh van poep

'Mam,' roept Doeke. 'Kom eens kijken.' Mama komt naar de wc gerend.

'Kijk eens,' zegt Doeke en hij wijst naar de wc-pot. 'Ik heb de puh gepoept. De puh van papa en van prik en van... poep!' Doeke kijkt vol bewondering in de wc.

'Ik vind het zonde om hem door te spoelen,' zegt hij. 'Kunnen we hem niet bewaren? Ik wil hem aan papa laten zien. Waarom is hij net nu plantjes kopen?'

Mama schudt haar hoofd. 'Nee, Doeke. Dat kan echt niet. Poep is vies.'

Mama trekt door.

'Dag puh van poep.' Doeke zwaait.

Samen met mama wast Doeke zijn handen. 'Mag ik kleien?' vraagt hij ineens. 'Dan maak ik van klei letters.'

Mama lacht geheimzinnig. Het lijkt wel of ze een plannetje heeft. 'Dat is goed. Let maar eens op.'

Mama pakt een ontbijtkoek uit de kelder. 'Breek die maar in stukjes,' zegt ze.

Als Doeke klaar is, giet mama een beetje water bij de brokjes ontbijtkoek.

'Kneed maar goed.' Doeke kneedt. De ontbijtkoek wordt een bruine smurrie. Dat lijkt wel...

'Wow,' roept Doeke. Ineens snapt hij mama's plannetje. 'Hiermee ga ik papa voor de gek houden!'

Hij maakt van de ontbijtkoek-poep een heel mooie puh, en legt hem in een doos op een taartpapiertje. Het duurt lang voor papa thuis is. Eindelijk hoort

Doeke de sleutel in de voordeur. Hij rent naar zijn vader toe met de doos. 'Papa, ik had vandaag zo'n mooie puh gemaakt in de wc. Ik wilde hem niet doorspoelen. Daarom zit hij in deze doos.'

Papa doet de doos open. 'Bah!' zegt hij. 'Gooi eens snel weg en was je handen!'

'Gefopt,' roept Doeke. 'Het is neppoep. Het is ontbijtkoek!'

'O,' zegt papa. Hij kijkt opgelucht. 'Weet je wat ik hier bij me heb in dit emmertje?'

Doeke schudt zijn hoofd. Papa doet de emmer open. 'Dit is olifantenpoep. Niet nep, maar hartstikke echt. Dit verkopen ze in het tuincentrum. Ze halen het bij de dierentuin. Het is heel goede mest voor de tuin. Daar groeien de spruitjes goed van.'

'Bah,' zegt Doeke. 'Nou snap ik waarom ik spruitjes niet lekker vind. Poepspruitjes zijn het.'

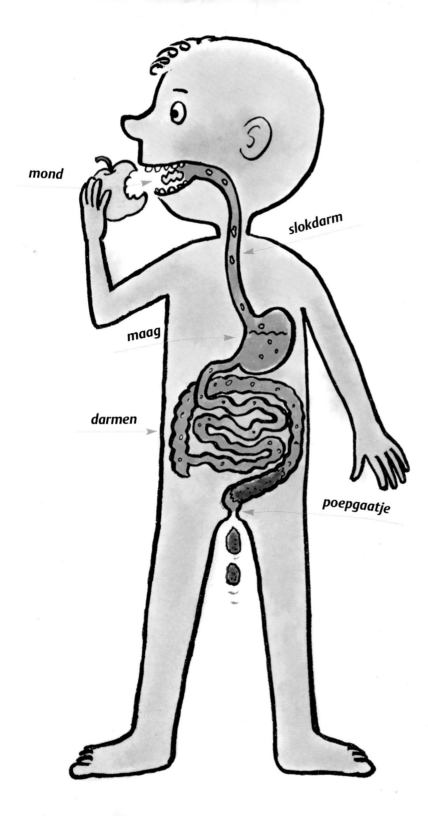

mond

slokdarm

maag

darmen

poepgaatje

## Aan de binnenkant

Als je iets eet, kauw je het eerst fijn in je mond. Je spuug helpt daarbij. Daarna gaat je eten door je slokdarm naar je maag. In je maag is het zuur. Misschien heb je wel eens overgegeven. Het eten komt dan uit je maag omhoog. Toen proefde je hoe zuur het in je maag is.

Beetje bij beetje gaat je eten naar je darmen. Je darmen liggen opgerold in je buik. Ze zijn bij een volwassene wel zeven meter lang. Meer dan drie bedden in de lengte achter elkaar! Uit het eten in je darmen haalt je lijf de goede stoffen. Wat na een dag overblijft, is poep. En daar wil je wel vanaf!

## Elk lekker hapje wordt poep

Sommige peuters spelen wel eens met hun poep. Dat moet jij niet doen. Het is wel goed om altijd even naar je poep te kijken. Dit kun je eraan zien.
* Te hard? Eet meer volkorenbrood en fruit.
* Rood? Heb je toevallig geen bietjes gegeten?
* Wormpjes? Snel een pilletje aan je ouders vragen.
* Wit? Is het na een paar dagen nog steeds wit? Ga dan naar de dokter.
* Te dun? Het kan buikgriep zijn. Doe voorzichtig met eten.
* Zwart? Heb je veel drop gegeten? Of spinazie?

## Elk vies hapje wordt ook poep

Probeer deze maar eens.
* Beschuitje poep: besmeer een beschuitje dik en klodderig met chocoladepasta.
* Beschuitje oorsmeer: besmeer een beschuitje dik en kloddering met pindakaas.
* Beschuitje snottebel: besmeer een beschuitje dik en kloddering met groene jam, bijvoorbeeld van reine-claudes.

## Windjes

Iedereen laat windjes. Wel vijftien per dag. En van sommige dingen ga je er extra veel laten: als je bonen, uien, prei of spruitjes hebt gegeten bijvoorbeeld. En weet je wat nou zo gek is? Eigenlijk laat jij geen windjes. In de darmen in je buik leven kleine beestjes. Die noem je bacteriën. Ze zijn zo klein dat je ze niet kunt zien. Bacteriën snoepen mee van jouw eten en het zijn de bacteriën die windjes laten!

## Als je wel eens in bed plast

Heb je dat wel eens? Je ligt lekker in bed. Je droomt dat je moet plassen en naar de wc gaat. Je plast en dan ineens word je wakker en merk je dat je in bed ligt. Je hebt in bed geplast.
Je hoeft je niet te schamen dat je wel eens in bed plast. Zelfs sommige kinderen uit groep 8 plassen nog wel eens in hun bed. Deze tips kunnen helpen:
* Vraag of je ouders je 's avonds even wakker maken om je te laten plassen.
* Drink overdag snel achter elkaar een paar glazen water of sap. Probeer daarna je plas zo lang mogelijk op te houden. Als je dit elke dag doet, oefen je je blaas.

Wist je dat je een liter per dag plast? Dat is net zoveel als er in een pak melk zit. Als het warm is, zweet je meer en plas je minder.

46

# 10
# Bewegen

## De kortste weg

'We gaan een hardloopwedstrijd doen,' zegt Marjolein. 'Ahmed doet mee. En Marthe. En Karina en Peerke.' Met een krijtje zet ze een lange streep op de stoep. 'Hier is de start. Het is ook de eindstreep. We moeten om het hele blok heen rennen. Dus via de hoek, de steeg en de straat waar Karina woont weer terug naar hier.'

'Ik zal wel aftellen,' zegt Peerke. 'Ik kan heel goed terugtellen. Elf, tien, negen, acht, zeven, vijf, vier…'

'Je bent zes vergeten,' zegt Doeke. Peerke telt opnieuw. Bij 'af' rent iedereen ervandoor. Alleen Doeke blijft een beetje achter. Hij heeft een plannetje. Het is niet helemaal eerlijk, maar ja. In het tweede huis om de hoek woont buurvrouw Van Dinther. Doeke wil daar aanbellen en vragen of hij even naar de wc mag. Dan gaat hij door de achterdeur de brandgang in en via de poort weer naar de eindstreep. Zeker weten dat hij er dan het eerste is.

'Natuurlijk mag jij naar de wc,' zegt mevrouw Van Dinther even later. 'Ga je gang maar. Dan schenk ik ondertussen een glaasje drinken voor je in. Wil je ook een stroopwafel?'

Doeke durft geen nee te zeggen. 'Ja, graag,' zegt hij. 'Zo, vertel eens,' vraagt mevrouw Van Dinther, 'zijn je vader en moeder niet thuis?'

Doeke krijgt een rood hoofd. 'Jawel,' zegt hij. Gelukkig vraagt mevrouw Van Dinther daarna iets anders.

'In welke groep zit je nu?'

'In groep 2,' zegt Doeke. 'Na de zomer ga ik naar groep 3.'

Dan staat hij op. 'Mag ik misschien door de achterdeur naar huis?'

Mevrouw Van Dinther kijkt een beetje verbaasd, maar ze laat hem toch door de keukendeur naar buiten gaan. 'De tuindeur is open,' zegt ze nog.

Als een speer gaat Doeke ervandoor. Door de brandgang, naar de poortdeur, de straat in. Alle vijf de kinderen staan bij de eindstreep.

'Waar was je nou?' roept Marjolein. 'We hebben twee keer het hele blok rondgelopen. We dachten dat je misschien gevallen was.'

'Eh,' zegt Doeke, 'ik nam een kortere weg.'

'Korter?' Marjolein wijst naar haar voorhoofd. 'Neem voortaan maar de langere weg. Die is in elk geval sneller!'

## Hoogspringen

Span een elastiek tussen twee bomen, palen of kinderen. Wie kan erover zonder het elastiek te raken? Schuif het elastiek steeds een stukje hoger.

## Evenwichtstest

Ga op een kussen staan. Ga op één been staan, met je armen wijd. Lukt dat?
Doe nu een blinddoek om. Ga weer op één been staan. Moeilijk, hè? Ben je nog niet gevallen? Breng dan je armen eens naar je lijf. Zeker weten dat je nu op de grond ligt.

## Botjes en spieren

Je kunt je bewegen doordat je botten en spieren hebt. De botten zorgen voor de stevigheid, de spieren voor het elastiek waarmee je de botten kunt laten bewegen. Zonder botten zou je als een drilpudding in elkaar zakken. Je hebt 650 spieren en meer dan 200 botten. Je botten beschermen ook zachte delen van je lijf, bijvoorbeeld je hart.

## Standje hopeloos

Doe dit eens: zet je voeten naast elkaar met de hakken tegen een muur. Probeer nu met je handen je tenen aan te raken. Dat lukt je nooit zonder te vallen.
En doe dit eens: ga met de buitenkant van je rechtervoet tegen een muur aan staan. Zet je linkervoet er strak tegenaan. Probeer nu je linkervoet op te tillen, zodat je op één been staat. Lukt niet, hè?

## Ballonnenwedstrijd

Leuk als je met meer kinderen bent. Je hebt voor dit spel een opgeblazen ballon nodig. De kinderen gaan in een kring liggen met de voeten naar het midden. Eén kind krijgt de ballon tussen zijn voeten en moet die aan een ander doorgeven. Wie de ballon laat vallen, is af.

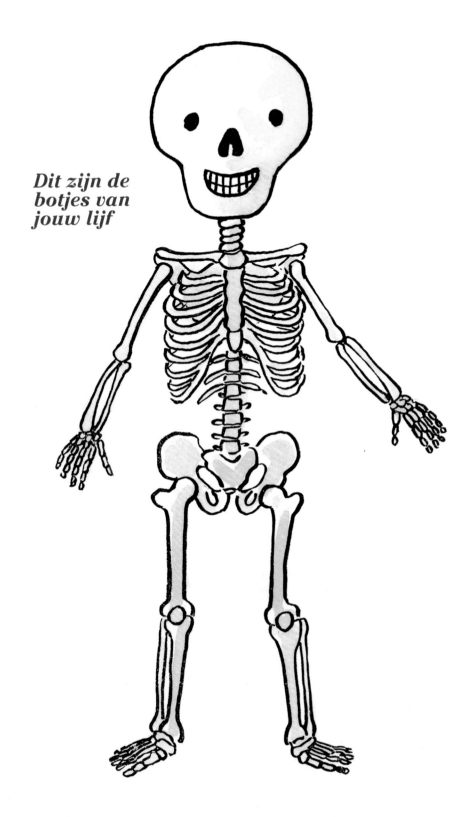

*Dit zijn de botjes van jouw lijf*

## Dit kan ik al

o Kopjeduikelen.
o Zelf schommelen.
o Op een klimrek klauteren.
o Zo hoog kan ik springen:
  ... cm.
o Zo hoog kan ik met twee
  benen tegelijk springen:
  ... cm.
o Met mijn ogen open op
  één voet stilstaan.
o Voetje voor voetje lopen,
  teen tegen hiel.
o Zo ver kan ik springen:
  ... cm.
o Over een muurtje lopen.
o Met mijn rechterarm mijn
  linkeroor pakken.
o Zwemmen.
o Hinkelen.
o Fietsen.
o Over een streep lopen.
o Touwtjespringen.
o Een grote bal gooien en
  vangen.
o Op mijn tenen lopen.
o Op mijn hakken lopen
  met mijn tenen omhoog.
o Mijn been in mijn nek
  leggen.
o Haasje-over/bokje springen.

## De leukste snelheidsraces
Maak een begin- en een eindstreep. Klaar voor de start, af!

### * Kikkersprongen
Alle kinderen springen als kikkers naar voren. Wie is de snelste kikker?

### * Kronkelslangen
Alle deelnemers liggen op de grond. Je mag alleen schuifelen om vooruit te komen. Net als een slang. Hup brilslang. Hup adder.

### * Voetje voor voetje
Dit gaat niet snel. Je moet steeds de hak van je voet tegen de tenen van je andere voet zetten.

### * Blikkenrace
Laat je vader of moeder door lege blikken gaatjes prikken. Daar gaat touw doorheen. Wie komt het snelst vooruit op twee blikken?

### * Stippenrace
Ieder kind krijgt drie cirkels stevig papier. Leg twee cirkels aan de startstreep. Zet op iedere cirkel een voet. Leg de derde stip voor je op de grond. Daar mag je een voet op zetten. Pak nu de lege cirkel en leg die een stukje verder.

### * Op drie benen
Deze wedstrijd hou je met teams van twee kinderen. Ga naast elkaar staan. Bind twee benen aan elkaar. Val niet!

### * Kruiwagenrace
Ook deze race ben je met zijn tweeën een team. Eén kind staat met zijn handen op de grond. De ander houdt de benen vast.

### * Eierrace
Alle deelnemers staan aan de startstreep met een lepel in hun hand en daarop een rauw ei. Loop naar de eindstreep zonder dat het ei valt. Valt je ei toch, dan moet je opnieuw beginnen. Vinden je ouders eieren niet zo'n slim plan? Je kunt dit spel ook met pingpongballetjes doen of met mandarijntjes.

# 11
# De buitenkant van je lijf

## Ontbijt op bed

'Mam, wij gaan beneden spelen.' Doeke steekt zijn hoofd om de slaapkamerdeur van papa en mama. Vannacht heeft Marjolein bij Doeke gelogeerd. Het is vroeg. Papa en mama liggen nog in bed.
'Maak je je niet vies?' zegt mama slaperig.
'Jullie mogen wel tv kijken,' zegt papa, 'Dan kunnen wij nog lekker even een tukkie doen.'
Doeke en Marjolein lopen zachtjes de trap af.
'Zullen we ontbijt op bed maken?' stelt Marjolein voor. 'Dat doe ik thuis ook wel eens.'
Dat vindt Doeke een leuk plan. Ze pakken glazen en schenken die vol met vruchtensap. Ze maken twee bordjes. Doeke besmeert plakjes ontbijtkoek heel dik met chocoladepasta. Marjolein maakt beschuitjes met pindakaas en hagelslag. Dan maken ze samen nog geroosterde boterhammen met jam en partjes mandarijn.
'Wow,' zegt Doeke, 'het lijken wel taartjes.' Uit een keukenkastje pakt hij vlaggetjes op een prikkertje en rietjes. Nu zien de bordjes er echt feestelijk uit.
Voorzichtig lopen Doeke en Marjolein de trap op.
Voor de slaapkamerdeur roept Doeke: 'Ogen dicht! Verrassing! Pas als ik ogen open zeg, mogen jullie kijken.'
Ze lopen naar het grote bed. Op elk nachtkastje zetten ze een bordje en een glas.
Papa en mama zijn onder hun dekbed gedoken.
'Kom maar tevoorschijn,' zegt Doeke dan.

'Ogen open.'
'Ik wil mijn ogen helemaal niet opendoen. Ik wil slapen,' klaagt mama.
Maar daar weet Doeke wel iets op. Hij haalt snel twee theedoeken en knoopt die bij papa en mama voor hun ogen. Dan geeft hij hun elk een bordje.
'Weet je wat,' zegt papa. 'Laten we elkaar voeren.'
Hij grijpt in een plak ontbijtkoek met chocoladepasta en probeert mama een hapje te geven. Het grootste deel van de chocoladepasta komt op mama's wang.
'Aflikken,' beveelt mama.
Doeke en Marjolein geloven hun ogen niet, maar papa en mama maken er een enorme kliederboel van. Alles zit onder de pindakaas, de jam en de hagelslag. Als ze alles op hebben, doen ze hun blinddoek af. Ze zijn slap van het lachen.
'Gelukkig moeten we nog douchen,' zegt mama, 'En ik had het bed ook nog niet verschoond.'
'Ik vind jullie ontzettende viespeuken,' moppert Doeke. 'Je mag nooit meer iets van mij zeggen!'

## Littekens

Heb jij ergens een litteken? Een litteken is een plek waar ooit een wondje zat. Je vel is daar een beetje harder en roze geworden. Wist je trouwens dat iedereen minstens één litteken heeft? Zijn navel! Daar zat het slangetje aan waarmee je in de buik van je moeder aan haar vastzat: de navelstreng. Daar kwam je eten door. Toen je geboren was, had je die navelstreng niet meer nodig. Toen dronk je melk en ademde je lucht. Het slangetje viel af en het litteken bleef over.

## Veilig velletje

Je vel beschermt de binnenkant van je lijf. Als je je huid als een lap zou kunnen neerleggen, is die ongeveer zo groot als je halve bed. Je velletje is iets om zuinig op te zijn. Hou het goed schoon. Was altijd je handen nadat je naar de wc bent geweest en ga minstens drie keer per week onder de douche. Pas ook goed op in de zon. Die kan je vel lelijk verbranden. Doe een pet op en gebruik zonnebrandcrème.

## Pleistertje-plak

Heb je het schilderij van jezelf nog? Je kunt daar een leuk spel mee doen. Teken een bloedneus of een kapotte knie op je schilderij. Doe om de beurt een blinddoek om en plak een pleister op het schilderij. Wie plakt hem het dichtst bij het wondje?

## Blauwe plek

Au! Soms kun je je flink stoten. Dan krijg je een wondje onder je vel. Je bloedt dan een beetje, alleen komt het bloed niet naar buiten. Zo'n bloedinkje onder je vel is eerst rood, daarna blauw, dan groen en ten slotte geel. Een blauwe plek kan een beetje pijn doen, maar verder geeft het niks. Hij gaat vanzelf weg. Totdat je je natuurlijk weer stoot...

## Wondje

Door je vel kan er niks je lijf in en uit. Behalve als je een wondje hebt. Dan kan er wel eens wat bloed uit je lijf komen. Je hoeft daar niet van te schrikken. Je hebt heel veel bloed in je lijf en er komen maar een paar drupjes uit. Ook zorgt je lijf zelf voor een pleister: het korstje! Onder een korstje groeit nieuw vel. Laat je korstje wel net zo lang zitten tot het vanzelf eraf valt.

Als je eraan peutert en het korstje eraf krabt, gaat het wondje opnieuw bloeden. Dan moet je lijf weer van voren af aan beginnen. Kun jij er goed van afblijven?

Heb je een wondje? Ga dan wel altijd naar je ouders. Zij kunnen je wondje schoonmaken, want er mag geen vuil in komen. Van vuil kan je wondje een heel vervelende plek worden.

## Muggenbulten

Zzzzzz, zzzzzz, zzzzzz. Als je
dit geluid 's nachts hoort, kun
je het wel vergeten om te slapen. Niets houdt je zo uit de slaap
als een zoemende mug. Maar nog vervelender dan dat gezoem
zijn de muggenbulten op je vel de volgende dag.
Alleen vrouwtjesmuggen prikken je. Jouw bloed is gezond voor
ze, want daarmee kunnen ze goede eitjes maken. Een mug zuigt
bloed met een heel dun zuigsnuitje. Zo dun dat het snel verstopt
raakt als je bloed stolt en klontert. Daarom spuugt een mug
eerst een spulletje onder je vel. Daardoor blijft je bloed dun.
En dat dunne bloed zuigt de mug op. Onder jouw vel krijg je een
bultje door dat dunne bloed. En van het muggenspuug krijg jij
jeuk.
Maar let op: krab niet aan een muggenbult.
Daar krijg je alleen maar meer jeuk van.

## Luizen

Heb jij wel eens luizen gehad? Niet fijn,
hè? Je krijgt geen luizen doordat je je
niet wast. Luizen lopen graag van het ene
hoofd naar het andere. Ook als je iemands
muts opzet, kun je luizen krijgen. Heb je
jeuk op je hoofd, zeg het dan tegen je
ouders. Er is speciale shampoo te koop
waar de luizen van doodgaan.
Je ouders moeten dan ook je
beddengoed en je jas
wassen. Daar kunnen eitjes
van luizen in zitten. En als die
uitkomen, begint alles weer
van voren af aan.

## Kippenvel

Heel lang geleden woonden
de mensen nog niet in huizen
met verwarming. Ze leefden
in de natuur. Ze hadden een
dik behaard vel om warm te
blijven, net als veel dieren.
Aan ieder haartje zat een
klein spiertje. Was het koud,
dan zorgden die spiertjes dat
de haren recht overeind
gingen staan. Zo werd de
vacht dikker en had je het
warmer. Nu hebben mensen
niet meer zoveel haren. Maar
de spiertjes werken nog wel.
Als het koud is, trekken ze
samen en krijg jij allemaal
bobbeltjes op je vel:
kippenvel.
Je kunt ook kippenvel krijgen
van een eng geluid.
Bijvoorbeeld als iemand met
zijn nagel krast.

# 12

# Ziek

## Helemaal slap

'Ik wil niet mee naar tante Suzan en oom Willem.' Doeke staat met zijn handen in zijn zij. 'Ik ga alleen mee als Snorrie ook mee mag.'

'Maar Doeke,' zegt mama. 'Je weet dat tante Suzan bang is voor je ratje.'

'Dan blijf ik gewoon alleen thuis,' zegt Doeke stoer. 'Dat kan ik best. Ik ben voor niemand bang. Als er een enge man komt, schop ik hem gewoon tegen zijn benen. Zo!'

Doeke schopt hard tegen de tafelpoot. Zijn beker melk valt om. Mama pakt snel een doekje.

'En Ron is het stomste neefje dat ik heb.' Doeke trekt zijn schoenen uit en smijt ze tegen de grond. 'Weet je wat hij de laatste keer deed? Hij beet in mijn bil. Zal ik dat eens bij jou doen? Dan weet je wat het is.'

'Nee,' zegt mama, 'dank je wel. Maar volgens mij was Ron toen boos, omdat jij zijn brandweerauto kapotgemaakt had.'

'Dat is niet waar,' roept Doeke. 'En trouwens, ik ben ziek. Ik heb buikpijn en ik ben misselijk.' Hij wrijft over zijn buik.

'Hmm,' zegt mama. 'Heb je net niet te veel boterhammen met hagelslag gegeten?'

'Nee, ik denk dat ik doodga en dan heb jij geen zoon meer!' Met een plof laat Doeke zich helemaal slap op de bank vallen. Niets beweegt meer aan hem.

'Tja,' zegt mama, 'dan ligt alles anders. Nu moeten we wel thuisblijven. Wat jammer nou. We zouden nog wel als verrassing naar een circusvoorstelling gaan. Maar dat doen we niet zonder jou…'

'Eh.' Doeke gaat rechtop zitten. 'Circus? Waar?'

'In Eersel,' zegt mama, 'waar Willem en Suzan wonen.'

'O.' Doeke is even stil. 'Ik ben niet helemáál slap, hoor. Het gaat al beter.'

Mama schudt haar hoofd. 'Nee, met een halfslap kind ga ik niet op stap.'

Dan springt Doeke overeind. 'Grapje,' roept Doeke. 'Ik ben niet meer slap en ook niet ziek en ook niet boos! En Snorrie kan wel alleen thuisblijven.'

## Ziek

Soms ben je ziek. Je wordt heel heet; je hebt koorts. Je moet hoesten of overgeven. Of je hebt diarree en buikpijn. Je kunt ook vlekjes krijgen en jeuk of pijn op een bepaalde plek. Je voelt je niet fijn, maar toch moet je blij zijn dat je lijf zo doet. Er zijn kleine ziektemakers je lijf binnengekomen. Zo klein dat je ze niet kunt zien. Jouw lijf werkt nu heel hard om die ziektemakers kwijt te raken. Daar krijg je het warm van. En daar moet je soms van niezen.

### Beterschapskaart
Is je vriendje of vriendinnetje ziek? Maak dan een beterschapskaart. Dat helpt vast.

### Ik ga naar de dokter…

Dit spel speel je met twee of meer kinderen. Je moet goed kunnen onthouden. De eerste zegt: 'Ik ga naar de dokter, want ik heb pijn aan mijn…' Je mag zelf verzinnen wat, bijvoorbeeld je grote teen. De volgende zegt dezelfde zin en verzint er nog iets bij. Bijvoorbeeld: 'Ik ga naar de dokter, want ik heb pijn aan mijn grote teen en mijn neus.' Zo gaan jullie door. De zin wordt steeds langer. Wie iets vergeten is, is af.

## Pas op!

Jouw lijf is fantastisch. Wat je daar allemaal niet mee kunt doen! Je hebt het in dit boek kunnen lezen. Maar sommige dingen zijn gevaarlijk. Doe die nooit! Zo voorkom je dat je ziek wordt of naar de dokter moet.

* Op een stoel uit een open raam hangen.
* Aan een tafelkleed trekken.
* Met iets in een stopcontact prikken.
* Je vingers tussen een deur houden.
* Aan het fornuis komen.
* Met vuur spelen.
* Met een mes of gereedschap spelen.
* Een plastic zak over je hoofd doen.
* Je babybroertje eten geven.
* Zomaar de straat oprennen.
* In een slootje spelen.
* Op stapels stenen of hout klimmen.
* Met wapperende kleren aan spelen.
* Op dun ijs of ijsschotsen lopen.

## Heksendrankje

Dit heksendrankje is goed tegen alles. Tegen zere kelen, griep, zelfs tegen verveling. Neem een leeg flesje met schroefdeksel. Doe daar een handvol dropjes in. Vul het flesje voor driekwart aan met water. En dan schudden maar. Schudden doe je trouwens zo: hou het flesje op zijn kop en daarna weer rechtop. Heel hard schudden is niet nodig. Neem driemaal daags een eetlepel van je heksendrankje.

## Naar de schoolarts

Ben je oudste kleuter? Dan heb je kans dat je binnenkort naar de schoolarts gaat.
Of misschien ben je er al geweest.
Meestal gaan alle oudste kleuters van één groep in dezelfde tijd naar de schoolarts.
Soms denken kinderen dat ze een prik van de schoolarts krijgen. Dat is dus niet waar.
De schoolarts geeft je géén prik. Wel meet hij hoe lang je bent en hoeveel je weegt.
De schoolarts kijkt of je alle figuurtjes op een bord goed kunt zien. En of je alle piepjes uit de koptelefoon kunt horen. Ook moet je over een lijn hinkelen. De dokter zal een beetje met je praten. Maar de dokter zal nóóit iets doen wat jij niet wilt.
De schoolarts wil graag weten of het goed met je gaat. Ben je vaak bang? Kun je goed alleen zijn? Ben je een blij en tevreden kind? Ook let de dokter op of er bijvoorbeeld kinderen zijn die het thuis niet zo goed hebben. Sommige kinderen krijgen klappen van hun ouders. En dat mag écht niet. Ook niet als je vervelend bent geweest. Niemand mag jou slaan of pijn doen, want jij bent de baas over je lijf. En wie wil er nou klappen krijgen?

56

## *Doktersspullen*
### Weet je wat dit allemaal is?
### En waar het voor dient?

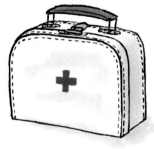

### flesje jodium
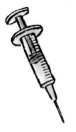
Jodium prikt niet. Het maakt een wondje schoon, zodat ziektemakers geen kans krijgen.

### zetpil

Een zetpil is een pil die in je poepgaatje gestopt wordt. Je merkt er niks van. Het is nog gemakkelijker dan een pil doorslikken.

### injectienaald
Soms krijg je een prikje of moet er een beetje bloed van je afgenomen worden. Een prikje voel je heel even. Je mag gerust au zeggen, maar écht pijn doet het niet.

### stethoscoop

Met dit apparaat kan de dokter goed naar je hart luisteren en naar hoe je ademhaalt. Soms voelt het een beetje koud op je velletje.

### pillen

Als je ziek bent, moet je wel eens pillen slikken. Slik nooit zelf pillen! Pillen zijn geen snoepjes. Van pillen die niet voor jou bedoeld zijn, kun je heel erg ziek worden.

### weegschaal

Misschien hebben jullie thuis ook een weegschaal. De dokter wil vaak weten hoeveel je weegt. Het is niet goed om te weinig te wegen of juist te veel.

### thermometer

Met een thermometer kun je meten of je koorts hebt. Dat gaat het beste in je poepgaatje. Vind je dat niet fijn? Smeer een beetje olie of zalf aan het puntje, dan gaat het vanzelf.

### ziekenhuisarmbandje

Wie in het ziekenhuis ligt, krijgt een armbandje om. Zo weet iedereen precies wie je bent. Ook als je slaapt en ook als je te ziek bent om iets te zeggen of daar nog te klein voor bent.

# 13
# Je eigen paspoort

Vul dit paspoort samen met je vader of moeder in.

## Dit ben ik:

Plak hier je foto

Ik heet: .........................................................

Ik ben een jongen/meisje.

Ik ben........................................................ jaar oud.

Ik ben jarig op: ....................................

## Dit zijn mijn vingerafdrukken:

(Maak ze met een stempelkussen.)

Zo lang ben ik: ...................................................

Zoveel tanden heb ik al gewisseld:..........................

Zo zwaar ben ik:...................................................

De kleur van mijn ogen is:.....................................

De kleur van mijn huid is:.....................................

De kleur van mijn haar is:.....................................

Dit is een plukje van mijn haar:

Deze littekens heb ik:...........................................

# Dit is mijn familie:

plak hier een foto van je broertje/zusje

plak hier een foto van je papa

plak hier een foto van je broertje/zusje

plak hier foto's van je opa's

plak hier een foto van je mama

plak hier foto's van je oma's

ISBN 90 269 9817 1

NUR 213

© 2004 Uitgeverij Van Holkema & Warendorf,
Unieboek BV, Postbus 97, 3990 DB Houten
www.unieboek.nl

Tekst: Annemarie Bon
Illustraties: Gertie Jaquet
Vormgeving: Petra Gerritsen